Enrico Polo *(1868 - 1953)*

30 STUDI A CORDE DOPPIE

progressivi dalla 1ª alla 3ª posizione

PER VIOLINO

30 ÉTUDES A CORDES DOUBLES **30 DOUBLE CHORD STUDIES**

Adagio
2.
f
Moderato
3.

Moderato
4.
f
Moderato
5.
f

rit.

Andante
6.

Adagio
7.

Allegretto
8.
mf

f

mf

cresc.
p

f

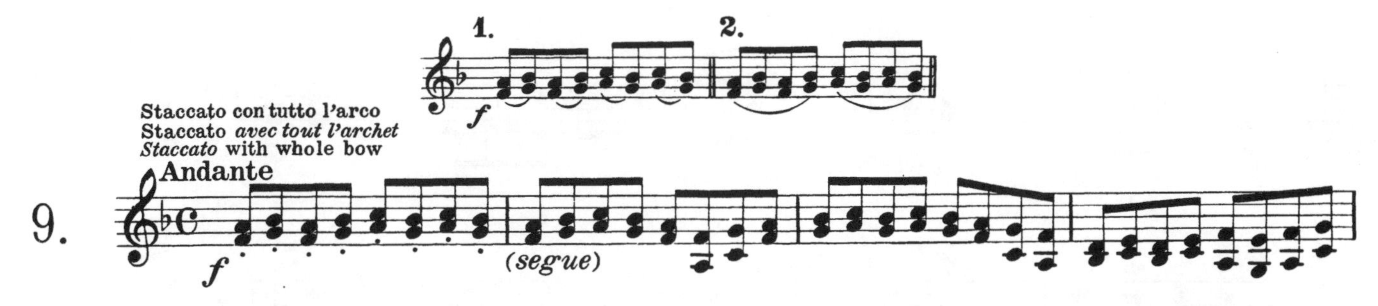
1.
2.
f
Staccato con tutto l'arco
Staccato *avec tout l'archet*
Staccato with whole bow
Andante
9.
f
(segue)

Tempo di Marcia
10.
f

dolce
mf

mf
cresc.

tr
f

tr

INCROCIAMENTO DELLE DITA | *CROISEMENT DES DOIGTS* | CROSSING THE FINGERS

Molto staccato con tutto l'arco.
Molto staccato *avec tout l'archet.*
Molto *staccato* with the whole bow.

STRISCIAMENTO CROMATICO DELLE DITA | *GLISSEMENT CHROMATIQUE DES DOIGTS* | CHROMATIC GLIDING OF THE FINGERS

Con tutto l'arco, staccato e deciso.
Avec tout l'archet, staccato *et décidé*.
With the whole bow, *staccato* and with marked rhythm.

Al tallone
Du talon
At the nut
Moderato
15.

ESTENSIONE DEL 4º DITO | *EXTENSION DU 4.me DOIGT* | EXTENSION OF THE 4.n FINGER

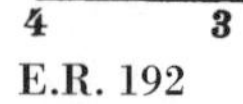

TREMOLO
TREMOLO
TREMOLO
1.
2.
Andante
17.
(a)
(b)
f
(segue)

ACCORDI | *ACCORDS* | ACCORDS

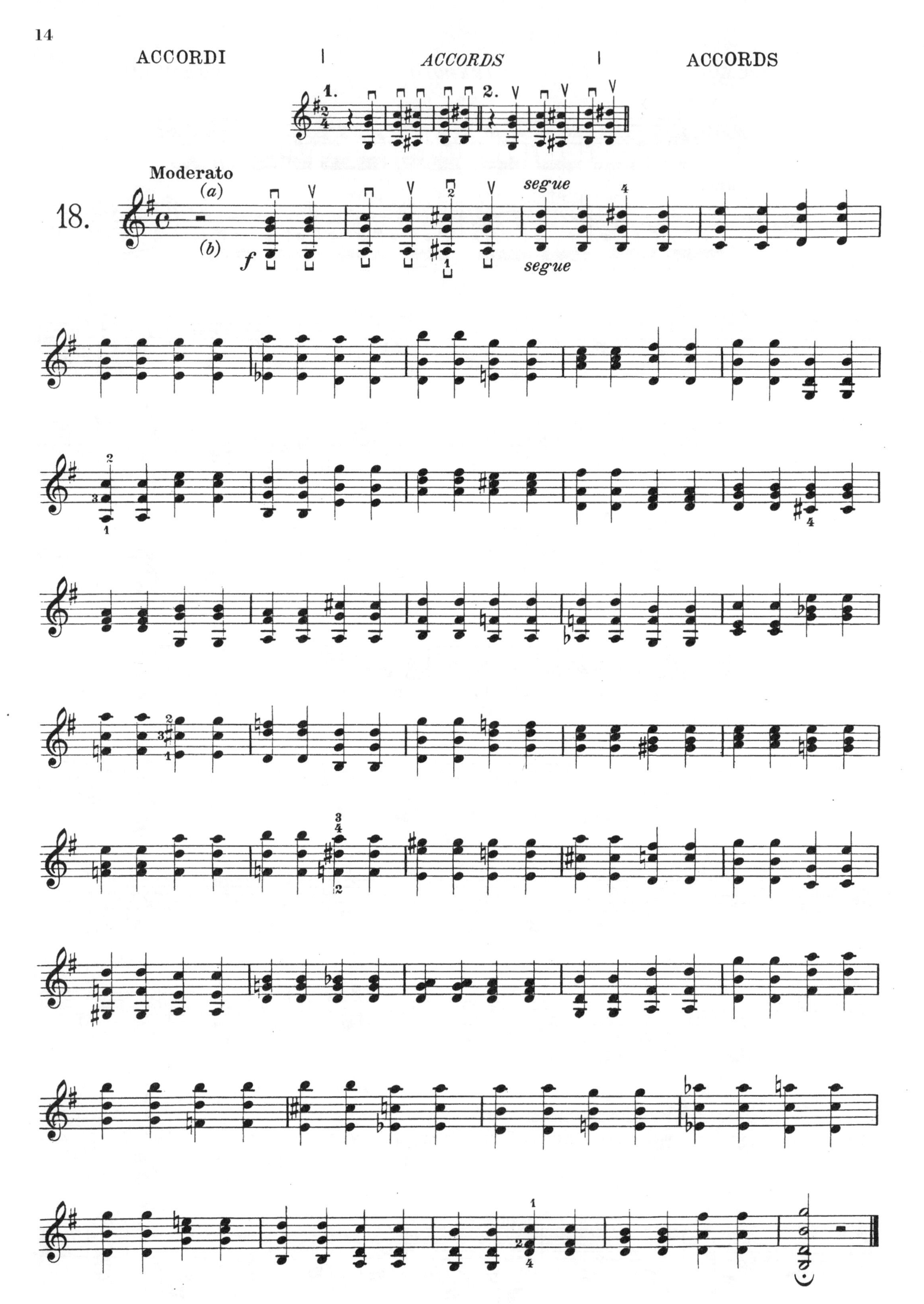

Allegretto
19.

cresc.

I. e II. POSIZIONE | *I. et II. POSITIONS* | I. and II. POSITIONS

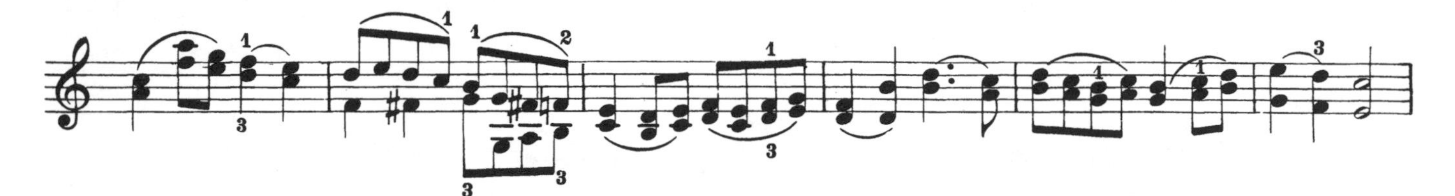

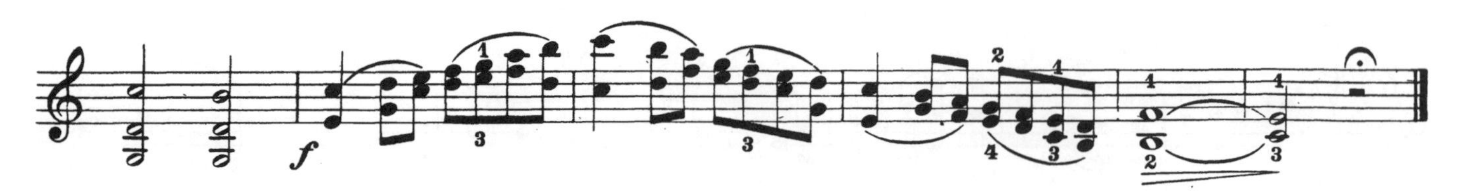

Andante cantabile
21.
mf

f

mf

f
mf

cresc.
p
mf

I. e II. POSIZIONE | *I. et II. POSITIONS* | I. and II. POSITIONS

Preparazione al trillo doppio. | *Préparation au double trille.* | Preparation for the double trill.

I. e III. POSIZIONE | *I. et III. POSITIONS* | I. and III. POSITIONS

I. e III. POSIZIONE | *I. et III. POSITIONS* | I. and III. POSITIONS

I. e III. POSIZIONE | *I. et III. POSITIONS* | I. and III. POSITIONS

I. II. e III. POSIZIONE | *I. II. et III. POSITIONS* | I. II. and III. POSITIONS

OTTAVE
OCTAVES
OCTAVES
Molto moderato
27.
con tutto l'arco
avec tout l'archet
with the whole bow

OTTAVE | *OCTAVES* | OCTAVES

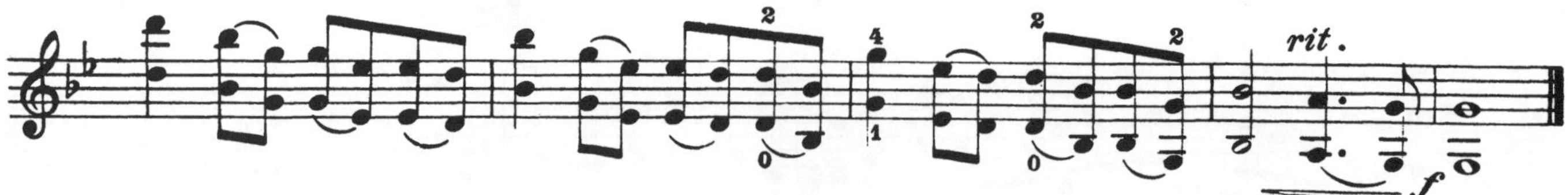

Andante cantabile

29.

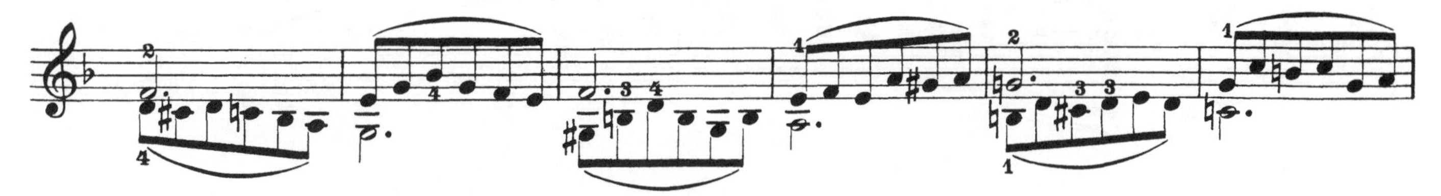

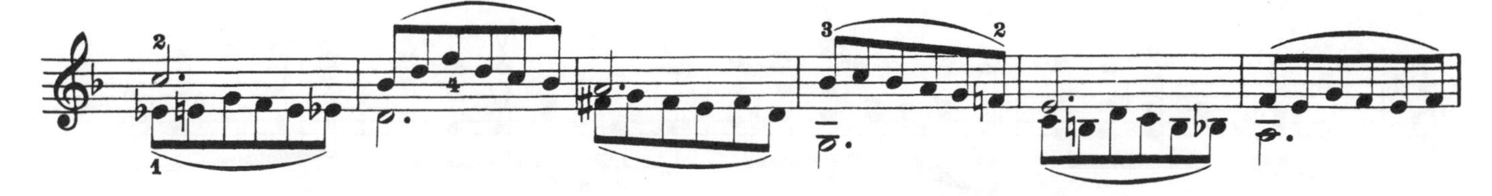

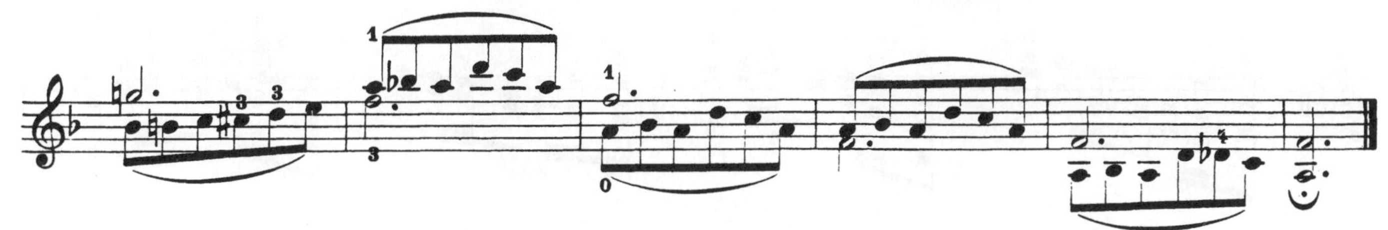

TEMPO ALLA POLACCA
Moderato
30.
f con brio

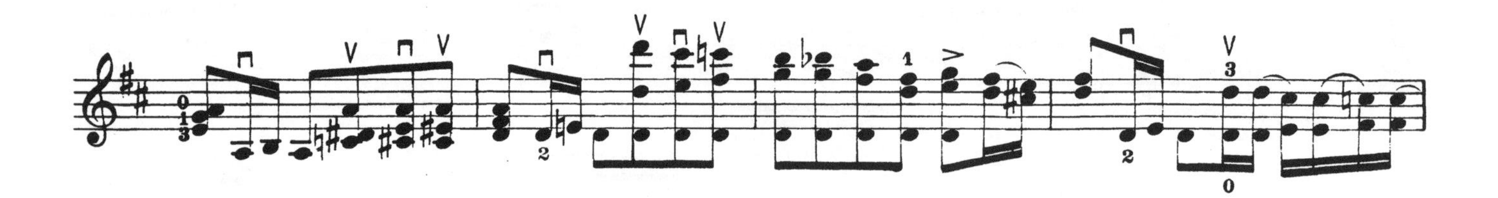

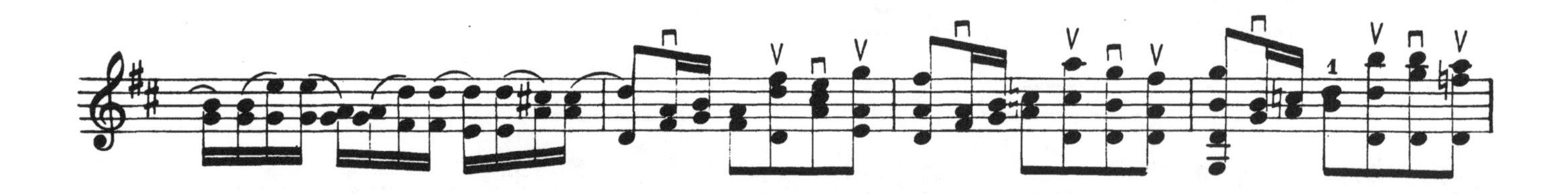

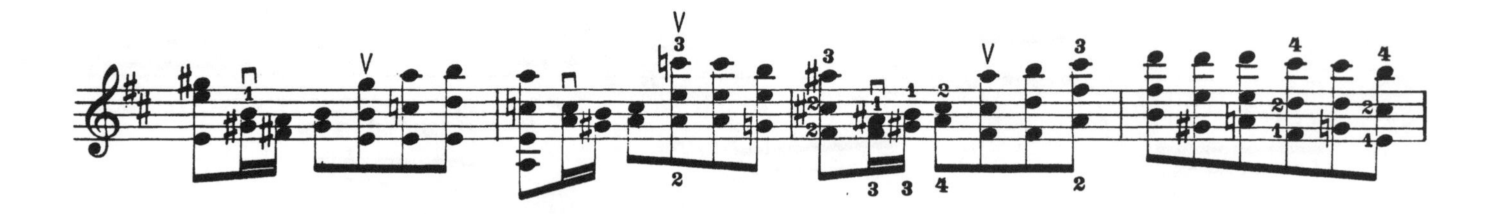

allargando a tempo
f

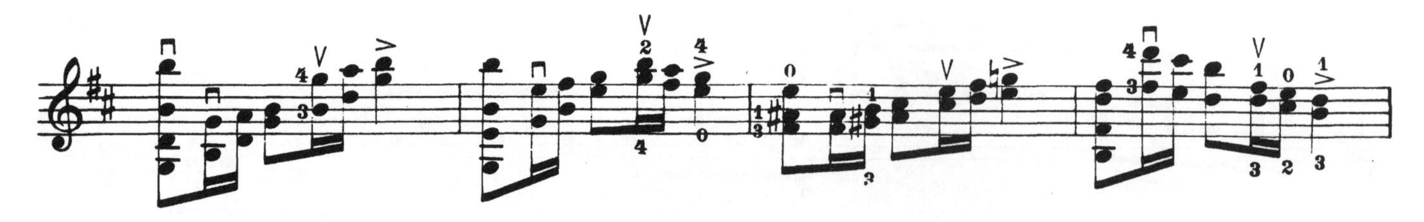

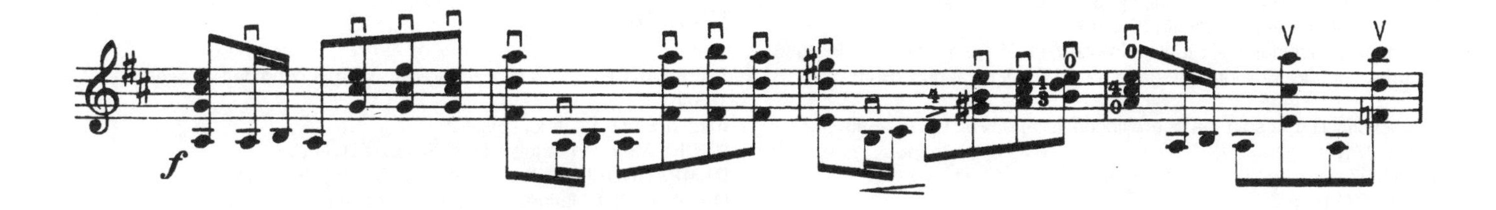

allarg.

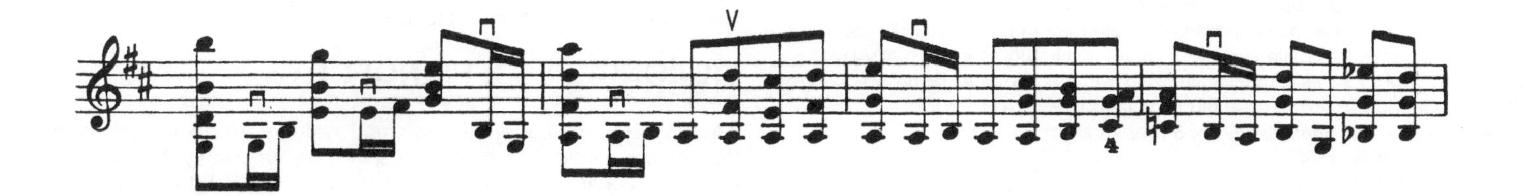

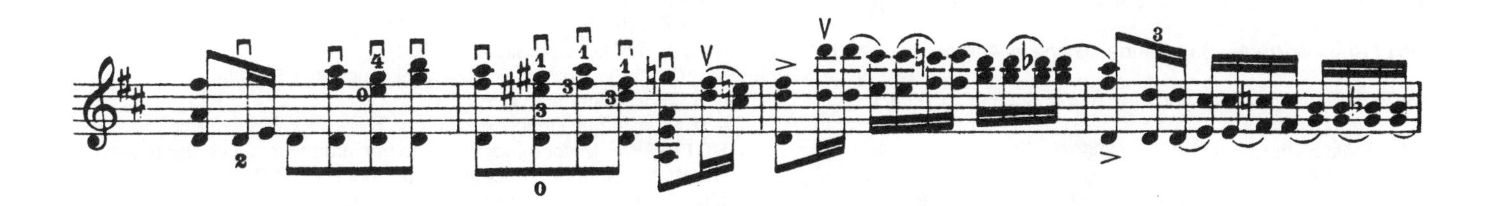

GLI ARCHI

Metodi, Studi, Repertorio

VIOLINO

ABBADO Mi. 12 Studi su un tema per violino (ER. 2689)
ALARD Metodo completo e progressivo (ER. 2699)
– Scuola del violino. Scale ed esercizi (estratti dal metodo) (ER. 2583)
BORCIANI Esercizi giornalieri per i giovani allievi (ER. 2697)
– Per la musica moderna e contemporanea. 209 Esercizi di tecnica superiore violinistica. Simboli e grafici (ER. 2760)
CAMPAGNOLI Metodo, parte I (Polo) (ER. 625)
DANCLA 36 Studi melodici e facilissimi, op. 84 (Fael) (ER. 1543)
DE BERIOT Metodo, parte I (Anzoletti) (ER. 802)
DONT 24 Esercizi preliminari agli Studi di Kreutzer op. 37 (Zanettovich) (ER. 2686)
– Studi e capricci, op. 35. Edizione integrale dei 26 Studi e capricci (Borciani) (ER. 2720)
FANTINI Passi difficili e "a solo" da opere liriche italiane. Vol. I (ER. 2696)
– – Vol. II (ER. 2712)
– – Vol. III (ER. 2713)
– – Vol. IV (ER: 2714)
FIORILLO 36 Capricci (Borciani) (ER. 2799)
– 36 Studi (Polo) (ER. 2206)
KAYSER 36 Studi elementari e progressivi, op. 20 (Zanettovich)
– – Fascicolo I (ER. 2682)
– – Fascicolo II (ER. 2683)
– – Fascicolo III (ER. 2684)
KREUTZER 19 Studi (Mi. Abbado) (ER. 2482)
42 Studi (Borciani) (ER. 2763)
LOCATELLI L'arte del violino (ER. 110)
LIPIZER Tecnica superiore del violino (ER 2602)
MAZAS Studi melodici e progressivi, op. 36 (Zanettovich)
– – Vol. I: Studi speciali (ER. 2782)
– – Vol. II: Studi brillanti (ER. 2783)
ODDONE Anatomia violinistica. Fondamenti anatomici della tecnica violinistica (MLR 627)
PAGANINI 24 Capricci, op. 1 (Urtext, Accardo, Neill)(ER. 2876)
POLO 30 Studi a doppie corde progressivi dalla I alla III posizione (ER. 192)
– Tecnica fondamentale delle scale e degli arpeggi in tutti i toni (ER. 1074)
PORTA Il violino. I suoni armonici: classificazione e nuove tecniche (ER. 2848)
RODE 24 Capricci in forma di studio (Borciani) (ER. 2761)
SEVCIK Metodo per principianti, op. 6 (Zanettovich).
– – Fascicolo I (ER. 2866)
– – Fascicolo II (ER. 2867)
– – Fascicolo V (ER. 2870)
SITT 100 Studi, op. 32 (Zanettovich).
– – Fascicolo I: 20 Studi in prima posizione (ER. 2806)
– – Fascicolo II: 20 Studi in seconda, terza, quarta, quinta posizione (ER. 2807)
– – Fascicolo III: 20 Studi sulle trasposizioni (ER. 2808)
SIVORI 12 Studi-Capricci op. 25 (ER. 2640)

VIOLINO E PIANOFORTE

AA. VV. Antologia violinistica (Maglioni) (ER. 2651)
BEETHOVEN 2 Romanze, op. 40 e 50 (ER. 422)
– 10 Sonate (Fischer, Kulenkampff). Vol. 1: nn. 1-5 (ER. 2295)
– – Vol. 2: nn. 6-10 (ER. 2296)
BOCCHERINI 6 Sonate per fortepiano e violino op. V (G. 25-30) (Pais) (GZ. 6167)
BONONCINI Arie, Correnti, Sarabande, Gighe e Allemande, op. IV (ER. 2691)
BONPORTI Invenzioni op. X (Mi. Abbado): n. 4 in Sol min. (131797)
– – n. 6 in Do min. (131689)
CORELLI 12 Sonate. Parte I: n. 1-6 (ER. 2660)
– – Parte 2: n. 7-12 (ER. 2661)
LOCATELLI Sonata op. VI n.12 in Re min. (Mi. Abbado) (131693)
PAGANINI 1° Concerto, op. 6 (ER. 126)
– Variazioni di bravura sulla quarta corda sopra temi del *Mosè* di Rossini (ER. 1984)
TARTINI Concerto in Re (rid., Corti) (ER. 622)
– Sonata in Sol min. "Il trillo del diavolo" (Mi. Abbado) (132154)
– Sonata op. I n. 10 in Sol min. "Didone abbandonata" (Mi. Abbado) (131799)
– Sonata op. II, n. 12 in Sol (Mi. Abbado) (131692)
VERACINI Sonata op. II, n. 6 in La (Mi. Abbado) (131691)
– Sonata op. II, n. 8 in Mi min. (Mi. Abbado) (132153)
VITALI Solo (Ciaccona) (Mi. Abbado) (132615)
VIVALDI Sonata in Re F. XIII n. 6, RV. 10 (Mi. Abbado) (131690)
ZANETTOVICH 5 Pezzi facili. Dalle corde vuote a tutta la prima posizione (131882)

VIOLA

ALESSANDRI Esercizi e letture ad uso dei candidati all'esame di 8° anno (ER. 1837)
ANZOLETTI 12 Studi (ER. 121)
BRUNI Metodo (seguito da 25 Studi) (ER. 90)
CAMPAGNOLI 41 Capricci, op. 22 (Sanzò) (ER. 2911)
GAVINIÈS 24 Matinées (trascr., Mi. Abbado) (ER. 2556)
KREUTZER 42 Studi (trascr., Bennici) (ER. 2819)
PALASCHKO 12 Studi, op. 62 (ER. 392)

VIOLONCELLO

BACH J. S. 6 Suites BWV 1007-1012 (Filippini) (ER. 2852)
BOCCHERINI Sonata per 2 vc. in Do (Pais) (GZ. 5630)
– Sonate per vc. e b.c. n. 11 e n. 12 (stesura per 2 vc.) (Pais) (GZ. 6204)
DUPORT 21 Studi (Crepax) (ER. 2619)
GRÜTZMACHER 24 Studi, op. 38. Libro I (Pais) (ER. 2530)
KREUTZER 42 Studi (trascr., Mazzacurati) (ER. 2136)
MERK 20 Studi, op. 11 (Pais) (ER. 2636)
PAIS La tecnica del violoncello (mano sinistra) (ER. 2148)
PIATTI 12 Capricci, op. 25 (Filippini) (ER. 2865)
POPPER 40 Studi op. 73 (Filippini) (ER. 2897)
SERVAIS 6 Capricci (Filippini) (ER. 2894)

VIOLONCELLO E PIANOFORTE

AA. VV. Haydn, Locatelli, Valentini nel repertorio violoncellistico con l'accompagnamento del b.c. o del fortepiano (Paternoster) (136356)
AA. VV. 5 Sonate del barocco italiano (Paternoster). Vol. 1 (135275)
– – Vol. 2 (135822)
BEETHOVEN 5 Sonate (Lorenzoni, Crepax) (ER. 2026)
BOCCHERINI 2 Sonate n. 11 e n. 12 (Pais) (GZ. 6205)
– 6 Sonate (Piatti, Crepax) (ER. 2461)
– 19 Sonate. Vol. I: G.1-9 (Paternoster) (ER. 2857)
– – Vol. II: G.10-19 (Paternoster) (ER. 2858)
LEO Concerto in Re (Viterbini, Cilea) (ER. 193)
MARCELLO Sonata in Sol min. op. 11 n. 4 (Piatti, D'Ambrosio) (125328)

CONTRABBASSO

BILLÈ Nuovo metodo. Vol. 1: I Corso teorico-pratico (ER. 261)
– – Vol. 2: II Corso pratico (ER. 262)
– – Vol. 3: III Corso pratico (ER. 263)
– – Vol. 4: IV Corso complementare (ER. 264)
– – Vol. 5: IV Corso normale (ER. 303)
– – Vol. 6: V Corso pratico (ER. 304)
– – Vol. 7: VI Corso pratico. Studi di concerto (ER. 305)
– 6 Studi caratteristici (ER. 791)
– 18 Studi in tutti i toni (ER. 266)
BOTTESINI Metodo (adattamento per strumento a 4 corde) (Caimmi) (ER. 2479)
CAIMMI La tecnica superiore. 20 Studi (ER. 415)
MURELLI Nuova didattica del contrabbasso (ER 2939)
VERCIANI Passi difficili e "a solo" da opere liriche italiane. Vol. II (ER. 2726)
– – Vol. III (ER. 2727)
– – Vol. IV (ER: 2728)

CONTRABBASSO E PIANOFORTE

BOTTESINI Elegia in Re (Caimmi) (ER. 636)